すきまのむこうがわ

巣山ひろみ／作
三上唯／絵

もくじ

装丁　野村義彦（LILAC）

日常がいつも日常だと、本気で思っているの？
日常にはいつでも亀裂が入る。
いつだって、きみがそのすきまに足を踏み入れるのを待っている。
つれていかれるのも、案外、悪いことではない。

紅（べに）

ゆかちゃんにさそわれて、小学校の帰りにショッピングモールに行った。ゆかちゃんとは、四年生になって、いっしょに帰るようになった。

つぎつぎにお店をのぞいていたゆかちゃんは、さっさと化粧品店（けしょうひんてん）に入っていってしまった。しかたなくついていくと、髪（かみ）をきっちりまとめた店員さんに、子どもがなんの用？　と言いたげな顔をされた気がした。背負（せお）ったランドセルが、急に重たくなったようで落ち着かない。

商品の棚（たな）の奥（おく）で、ゆかちゃんが立ち止まり、まるで絵具セットのような化粧道具や口紅（くちべに）を、じっと見ていた。

「ゆかちゃん、まだ？」

おずおず声をかけると、くるりとこちらに向きなおった。

「もう、いいよ」

満足したように微笑むゆかちゃんのあとについて、モールを出た。公園を抜けると近道だ。木陰でセミがやかましく鳴いていた。

とつぜん、ゆかちゃんが、ふふっと笑った。

「ね、ないしょなんだけど……」

ポケットから、すっと手を抜きだした。そういえば、モールからの帰り、右手をずっと、ポケットに入れて歩いていた。

目の前で、ゆっくりと開かれた手のひらに、わたしは心臓が止まりそうになった。

値札のついたままの、小さな長方形の箱。

「それ、どうしたの」

思わず声が小さくなる。

公園のはずれのベンチにかけよって、ゆかちゃんは、すとんと腰をおろした。垣根を背に、前には大きな木があって、あまり人の来ない場所。わたしも並んですわった。

ゆかちゃんが小さな箱から取りだしたものは、思ったとおり、口紅だった。銀色のキャップを取って、ひねりだされたのは、あざや

かな、とろりとした紅色。

「これ、新色なんだよ」

「買ったの？」

そんなわけはなかった。お店でゆかちゃんがお金をはらうところなんて、見なかった。

「まあちゃん、だれにも言わないでね」

甘えたような上目づかい。だけど、まつげの濃いくっきりとした目は、さからうわけないよねと、告げていた。ずっといっしょだったんだもの。化粧品店に入るときも、ずっと。

図画の授業で自分の顔を描くときに使った鏡を、ゆかちゃんはランドセルから取りだした。

口紅をくちびるにぬりつけていく。ぽってりと赤いくちびるをつきだした鏡の中のゆかちゃんは、十歳より、もっとずっと大人に見えた。指で髪をかきあげ、口紅と同じ色のリボンを結びなおすと、満足そうに微笑んだ。

「まあちゃんにも、つけたげる」

「わたし……」

いいよと言おうとした言葉は、口紅でおさえつけられた。

「じっとしてて」

くちびるをなぞられていく。甘ったるいにおい。ベタッとした薄

い膜におおわれていく。

「できたよ」

ゆかちゃんのはずんだ声に、鏡をのぞくと、見知らぬお姉さんが、とまどったような顔でこちらを見ていた。くっきりと色のついたくちびるが、なんだか浮いた感じ。口にふれようとしたとたん、

「取っちゃだめ！」

ピシリとゆかちゃんの声がとんだ。

「まあちゃん、うちのママと同じくらいきれい。家に帰るまで取らないって約束して。ぜったいに」

くっついて、うでを組んでくるゆかちゃんと並んで、わたしは歩きだした。くちびるが気になって、顔があげられない。

ゆかちゃんとは、公園を出たところで別れた。

町屋を抜けて帰ろうと、通りに入った。そのときとつぜん、晴れているのに、さあっと細かな雨が落ちてきて、土のにおいが立ちこめた。わたしは道ばたの木の下に走りこんで、幹に背をつけた。はりだした枝のしげった葉が、雨をさえぎってくれる。

空が青い。なのに、雨が降っている。おかしな天気。いったいこの雨はどこから落ちてくるんだろう。雨つぶに日がさして、格子窓も板塀も、玄関前に敷かれた石畳も輝いて見える。なんてきれい。ほかにだれの姿もなくて、時間が止まったような静かな通りに、光が降りそそいでいる。

と、シャランシャランと鈴の音がした。耳をすませると、また、シャランシャランと聞こえた。ふり返ると、また、シャラン。

曲がり角から、黒い着物を着た人があらわれた。

顔を見たとたん、わたしは「あっ」と声をあげそうになった。思わず、木のうしろにかくれた。そのつき出た顔は、きつね……。

曲がり角から、黒い着物のきつねが、つぎからつぎにあらわれる。

行列になって、雨の中をやってくる。歩を進めるたび、金銀模様の帯につけた帯かざりの鈴が鳴る。行列は、すり足でゆっくりと目の前を通りすぎていった。

行列のうしろから、今度は人力車があらわれた。かさをかぶったきつねがひっぱっている。いったいだれが乗っているんだろう。木の陰から、そっとのぞいてみたけど、だれも乗っていない。からっぽだ。そのとたん、

「花嫁がござっしゃった!」

黒い着物のひとりが、わたしを指さして、大声をあげた。行列が止まり、顔がいっせいにこちらを向いた。

「ここにござっしゃったぞ」

黒い着物がどっとおしかけてきて、わたしをとりかこんだ。足がかたまってしまって、動くことができない。

「花嫁（はなよめ）じゃ」

「花嫁じゃ」

きつねは金色の目で、わたしを見た。大きな口のはしが、にんまりとめくれあがり、牙（きば）がのぞいた。

「さぁさ、車へ。先で、婿（むこ）さんがお待ちかねじゃ」

きつねのさしだした手は、曲がった爪（つめ）のある獣（けもの）のもの。

「さぁさ、ござっしゃれ、花嫁さま」

「さぁさ、こちらへ、花嫁さま」

かこまれて、人力車におしこまれた。かさのきつねが立ちあがると、車はうしろにがくんとかしぎ、動きだした。

車はどんどん速くなって、景色が変わっていく。とても、きつねが一匹でひっぱっているとは思えない。車輪はぐわんぐわんと地面をはずみ、風が、びゅーびゅーうなりをあ

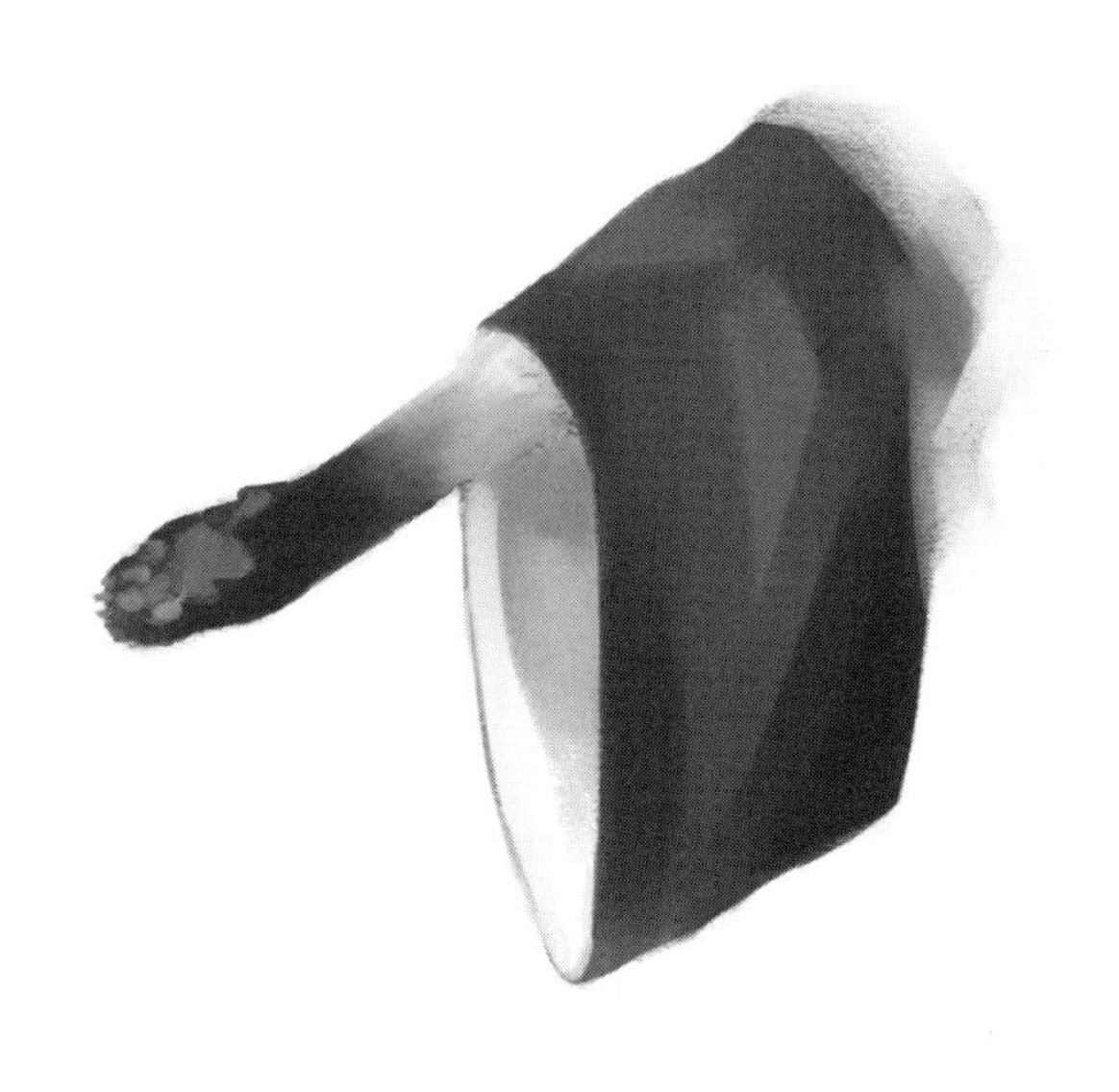

げる。点々と咲く野の花が、灯りのように流れていった。

いつしか、車の動きがおだやかになったと思うと、車輪の土を踏む音に合わせるように、歌が聞こえてきた。

めでたや　めでた　ととのった
嫁入りじたくが　ととのった
これで　ぜんぶが　ととのった

歌っているのは、行列のきつねたちだ。

「どこに行くの？」

おそるおそる、人力車をひくきつねの背に声をかけた。歩を進めるたび、頭にかぶったかさが前後にゆれる。

「なにも心配することたぁ、ありませんよ」

きつねは前を向いたまま答えた。

「婿さんになられるかたぁ、それはそれは立派な白ぎつねでございますさぁ」

花嫁とか、婿とか……なにか、かんちがいされているんだ。

「わたし……ちがうから！」

だれも、なにも答えてくれない。泣きそうになりながら見わたすと、先頭を歩いていたきつねに、目がとまった。小柄なきつね。とんがった耳のうしろに、赤いリボンをつけている。

歩きながら、片手をすっとあげて、耳のうしろのリボンにふれたしぐさに、ドキッとした。まるで、ゆかちゃんみたい。それに、リボンはたしかに、あの口紅と同じ色。

（まさか……そんなわけ、ないよね）

そのとき、かさのきつねが節をつけて歌いだした。

おつれいたすは　花嫁さまよ
三国一の　きりょう良し

花嫁さまは　あかい紅

合わせて、行列のきつねたちが、いっせいに歌った。

白いきつねの　おやかたさまは
三国一の　果報者
花嫁さまは　あかい紅

（あかい紅……）

はっとした。あわてて、くちびるを手の甲でぬぐった。とたんに、甲高い声がさけんだ。

「取っちゃだめ!」

リボンをつけたきつねだった。

「家に帰るまで、ぜったいに取らないって、約束したのに!」

きつねは目を光らせ、「約束したのに」と、くり返した。

わたしは、スカートのポケットからハンカチをひっぱりだして、
くちびるをぬぐった。くちびるがひりひりするくらい、何度も何度
もぬぐった。

雨がざあっと落ちてきた。

雨つぶをはらって目をあげると、そこはもとの町屋の通りだった。黒い着物のきつねたちはどこにもいない。わたしはひとり、びしょぬれで立っていた。地面から熱気がむわっと立ちのぼり、セミの鳴き声が、あたりをつつんでいた。

雨が降ったのがうそのように、まぶしい空が広がっている。右手の甲に、紅い筋が、火傷のあとのようについていた。

26

筆師(ふでし)のはなし

おばあちゃんの家は開けた山の上にあって、窓から海が見えます。晴れた朝、海の見えるこの部屋で、おばあちゃんは筆づくりをはじめます。

「いち花、窓を閉めなさい」

わたしは海を近くに感じていたいので、二月の風が冷たくても、窓をいっぱいにあけていたいのです。

「ほら、風で毛がばらけちまうよ」

おばあちゃんに言われて、わたしはあわてて窓を閉めました。おばあちゃんが心配するのは、わたしのポニーテールのことでも、おばあちゃんのおだんごに結んだ髪の毛のことでもありません。

部屋のほとんどを占めている作業台に、大きなざるが置かれ、そこにはふさふさとした白い毛が盛られています。

「これは中国の山奥で育ったヤギの毛だ。五十年ものの一級品だよ」

毛の束を手に取っては、指でなぞるように広げ、作業台に並べていきます。おばあちゃんの目と指は、その毛の束がどんな筆に使えるか、一瞬で見抜くのだそうです。

毛の束の根もとに、ひからびた皮膚がついています。美容院の床に落ちた毛とあきらかにちがうのは、ヤギの毛が皮膚ごと切りとられたこと。毛はヤギの一部だと生々しく伝わってきます。

「五十年前は生きていた？」

「そりゃ、元気にはねてたろうさ。ヤギはちょうど、あたしが父の見習いになったころ、死んでくれた。そして今日、会いに来てくれたんだ」

うれしそうに言うおばあちゃんの目が、めがねの奥で、ゆらっと光ったように見えました。

（死んで……会いに来てくれた）

わたしには、おばあちゃんの言葉の意味がよくわかりません。でも、胸の中でくり返すと、少しぞっとしました。

「まあ、三年生のいち花には、むずかしいだろうね。あんたのお母さんにも理解できなかったし」

おばあちゃんのひとり娘であるお母さんは、筆師の仕事をつぎませんでした。だから、筆師の仕事は自分の代でおしまいと、おばあちゃんはいつものように言います。でも、わたしは作務衣で仕事をするおばあちゃんを見ているのが好きです。お母さんの気が向いたほんのたまにしか、つれてきてもらえないのがさびしいけれど。

窓にかざしたおばあちゃんの指先で、ヤギの毛が、さやさやと輝きます。それをひたすらながめては、台に置き、またつぎを手に取り、ながめます。そのうち、おばあちゃんの世界から、わたしはすっかり消えてしまいます。作業にぼっとうしているのでしょう。

わたしはそっと、部屋を出ました。廊下を抜けて、玄関で靴をはきました。

庭の前に段々畑が広がっています。南向きの斜面にはよく陽があたって、小さな黄色の草花が咲きはじめていました。畑のすみにつるされた鳥追いの缶カラが、コロロン、カラランと鳴っています。

わたしは草にすわって、海を見おろしました。そして、小さなかばんをひとつ持って、あちこち旅をする自分を想像しました。かばんは好きな大きさになって、家にも乗りものにもなるのです。静かでおだやかなこの場所には、想像の楽しみをじゃまするものは、なにもありませんでした。

ふもとの町と海のさかいを、小さな列車が進んでいくのが見えます。もう少し大きくなったら、ひとりで列車に乗って、いつでもここに来ようと、わたしは考えました。

「いいあんばいだね」

いつのまにか、おばあちゃんがそばに立っていました。

「きゅうけい時間？」

「ああ。こんをつめると目がにぶるからね」

おばあちゃんは肩をぐるぐるまわして、のびをしました。

「散歩でもするか」

「うん」

　山道をあがっていくと、みどりが開けた場所に出ます。そこには、大きな石碑があります。石碑には「ふでづか」と彫ってあり、筆にまつわるものを供養するためのものだと、おばあちゃんが教えてくれました。

　おばあちゃんが石碑の前で立ち止ま

り、手を合わせ、目を閉じました。ここに来ると、いつもそうします。だから、わたしもいっしょに手を合わせます。

時間があるかぎり、おばあちゃんは毛にさわっています。さっさっさと、すごいスピードです。

指で毛をはさみ、傷んだ毛を抜いていきます。小刀と

「毛先が切れたものはダメだ。そんなのは、指でさわるとちくちくするからわかる。切れた毛はみんな抜くんだよ。使えるのは生まれて、一度も切られたことのない毛だけ」

「じゃあ、わたしの髪の毛はもう筆にならないの？」

少しくせはあるけど、きれいな髪の毛だと、お母さんがポニーテールに結びながら、いつもほめてくれます。

「ダメだね。何度切った？　筆にできるとしたら、散髪したことのない赤ん坊の髪の毛だけだ」

おばあちゃんの作業を見ながら、お母さんがあきれたように言いました。

「よくあきないわね。年がら年中、毛をそろえたり、抜いたり。わたしにはとても無理だわ」

「まあ、あんたのようなあきっぽい性格じゃ、とてもつとまらないね」

「あきっぽい性格のおかげで、こんな田舎にひきこもらずにすんだわよ」

お母さんに言わせると、おばあちゃんとは親子でも性格がまるで反対なのだそうです。

わたしはお母さんに聞いてみました。

「お母さんが赤ちゃんのときの髪の毛で、おばあちゃんは筆をつくった？」

「ああ、そういえば、どこかにあったわね、胎毛筆。おばあちゃんのことだからどうせ、赤ちゃんのときも、わた

しの髪の毛しか見てなかったでしょうけど」

日が暮れても、おばあちゃんは工房にこもっています。そっとのぞくと、作業台には、筆の先が、たくさん置いてありました。まだ、棒がくっついていないので、みのむしのようです。

「これからくっつけるの？」

「いや。軸につける前に、穂の焼きしめをしなきゃね。穂のつけ根を焼いて、かためるんだ」

炭に焼かれて真っ赤に染まったコテが、置かれています。

「見てていい？」

「いいけど、毛が焼けるにおいは平気かい？　あんたのお母さんはこのにおいがにがてで、焼きしめのあいだはとくに、工房によりつかなかったけどね」

　にやっと笑って、おばあちゃんは麻糸をくわえました。糸を穂の根もとにくるりとまきつけ、きりりとひっぱります。みのむしが、おばあちゃんの口からのびる糸に、つぎつぎとぶらさがりました。

　それから、おばあちゃんは、熱く焼かれたコテを手にとりました。コテを穂の根もとにあて、ふーっと息を吹きかけます。たちまち、ほのおがぼっと吹きあがり、おばあちゃんの顔が赤く染まりました。同時に、毛の焼けるなんともいえないにおいが広がりました。

いくつもの穂(ほ)が、口もとのほのおで焼(や)きかためられていきます。

おばあちゃんのおでこにふつふつと、汗(あせ)がにじみます。

ほのおから目が離(はな)せないまま、じっと見つめていると、部屋のすみが暗くしずんでいくような感じがしました。

「あっ」

思わず声が出ました。しずむ部屋のすみに、なにかがいるような気がしたのです。四つ足の動物の、湯気(ゆげ)の立つ鼻息を聞いたような。

おばあちゃんがこちらに視線(しせん)を向けました。麻糸(あさいと)をかみしめたまま、目で「どうした?」と聞いたのがわかりました。

わたしは、おばあちゃんが背(せ)にした、部屋の奥(おく)を見つめました。

なにもいません。ほのおがおばあちゃんの影を映しただけだったのでしょうか。わたしは首をふりました。

「ううん。なんでもない」

と、そのとき、ひざに乗せた手に、なにかがさわるのを感じました。やわらかな、ふさっとした感触。目を落とすと、影はさっと、つくえの下に消えました。

「ええっ？」

今度こそ、わたしは声をあげて立ちあがりました。

おばあちゃんが、麻糸のすきまから、ため息を吐きだしました。

その目が、「静かにできないなら、出ておいき」と言っているのがわかります。

「ご、ごめんなさい。でも、なにかが……部屋にいるの」

一瞬（いっしゅん）、きょとんとしたおばあちゃんが、糸を口からはずしました。

「そうか」

そして、ゆっくりと部屋の四すみを見まわしました。

「いち花（か）にも見えるか」

そう言いながら、四すみに順番（じゅんばん）に、頭をさげるのでした。

「今夜はヤギにウサギ、ムジナにタヌキ。毛を取られた生きものたちよ」

おばあちゃんの言葉に、わたしはふるえあがりました。わたしには、ぼんやりと目のはしに影が見えるような気がするだけです。はっきりと姿が見えるわけではありません。でも、たしかに感じた動物の息づかい、そして、ふれられた感触が手の甲に残っているのでした。

「あれらはなんにもせんよ」

なにもしないと言われても、おそろしくてたまりません。毛を取られたうらみで、出てきたのではないでしょうか。

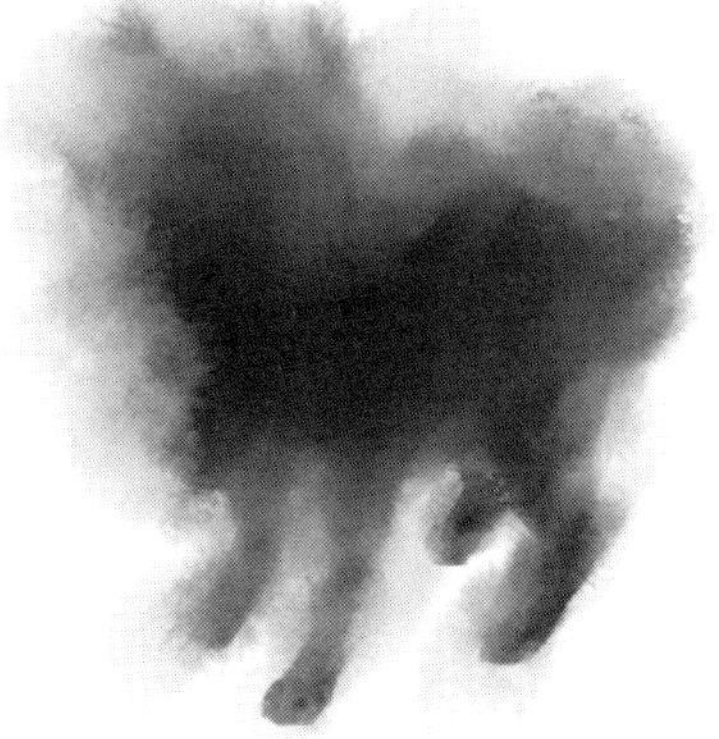

「見とるだけ。あたしの仕事をただ、じっとね。だから……」
おばあちゃんがすっと背筋をのばしました。
「だから、一本一本の筆に、決して手を抜くことはできないの」

桜が咲くころ、わたしとお母さんは、またおばあちゃんの家をおとずれました。

その日、おばあちゃんはめずらしく、そわそわ落ち着かない感じでした。大切なお客さんがやってくるのだそうです。

おばあちゃんは、特別な筆をつくりあげました。中国の山奥で育ったヤギの古い毛。その中からこつこつと、二十年かけて集めた最高の毛でつくった一本の筆。受け取りに来るのは、日本で最高の書道家だと、おばあちゃんが言いました。

はかま姿であらわれた書道家の先生は、おばあちゃんから筆を受け取ると、いますぐに試し書きをしたいと言いだしました。

床の間のある和室で紙を広げる先生を、ふすまのすきまからわたしはそっと、見ていました。墨をふくんだ筆が紙をすべる、しゅしゅという音。わたしはどうしてだか、息をつめてその音を聞いていました。

先生は玄関でぞうりをはいて、おばあちゃんをふり返って言いました。

「あなたのつくったこの筆、使いこんでいったらどうなるのかな。怖(こわ)いな」

先生を見送ったあと、お母さんがこっそり、わたしに言いました。

「筆を使うのが怖いなって……。ふつう、楽しみだなでしょ？」

お母さんは首をかしげています。でも、わたしは、おばあちゃんは先生から、とてもすごいことを言われたのだと思いました。おばあちゃんは、先生の車が遠く見えなくなってもまだ、じっと動かずにいました。

わたしはおばあちゃんの手をにぎりました。

「ねえ、おばあちゃん。わたしが大きくなったら、筆のつくり方を教えてくれる？」

ハッとしたように、おばあちゃんがわたしを見ました。

「教えてやるよ、なんだって」

おばあちゃんの手が、ぐっとにぎり返してきました。

虫送りの夜

「今夜、かずきもいっしょに来いよ」

晩ごはんを食べているとき、いとこのあつしが、かずきに言いました。

「どこか、行くの？」

「虫送りに行く」

「むしおくり？」

おちゃわんを持ったまま、きょとんとするかずきに、おじいちゃんが笑って言いました。

「かずきがこの時期、ここに来るのははじめてじゃもんな。虫送りはな、かねや太鼓を鳴らして田をめぐり、稲につく害虫を、人の世から送りだすならわしじゃ。夜の田んぼは真っ暗闇じゃからな。提灯を持って出かけたらいい」

「子どもらだけでやるんだぞ」

あつしがにやっと笑ってつけたしました。それを聞いて、かずきはごはんがのどにつまりそうになりました。三年生になってもやっぱり、暗いのがとてもにがてなのです。

「行っておいで。暗くてもだいじょうぶだね。かずきもお兄ちゃんになるんだし」

人の気も知らないで、おばあちゃんがにこにこして言いました。

日が暮れると、子どもたちが神社に集合して、虫送りがはじまりました。十四、五人の列の先頭を行くのは、六年生のあつしです。二番目の子はかねを鳴らし、三番目の子が太鼓をたたきます。そのうしろでは、木の皮でつくった小舟をかかえた子、青菜やカブの入った籠を持った子、そして、小さなわらの人形を手にした子が続きました。

あつしに手をつないで歩いてほしいと、かずきは思いました。しかし、あつしは、「おまえはうしろを守れ」と言いました。しかたなく、かずきは列のいちばんうしろにつきました。

「田のあぜを踏み抜くなよ」

あつしがふり返って、声をあげました。

「あぜを踏んだら、田の神さまがおこるぞ」

田んぼの水がもれるのを防ぐために、田のふちに泥土を盛って、あぜをつくってあります。できたてのあぜはまだ、やわらかく、くずすと田の水が抜け出てしまいます。

ごこくほーじょー
あくえきたいさん
ヨーイソラ　ヨイソラ
チキチン　ドンドン

チキチン　ドン

提灯(ちょうちん)の灯(あか)りが田んぼのまわりにゆらゆらとゆれ、子どもたちは鳴りやまないカエルの声に負けないよう、声をはりあげました。しかし、かずきの声は消え入りそう。早く家に帰りたくてたまらなかったのです。

　田と田のあいだの道は細くて、一列になって歩きました。かずきのうしろにはだれもいません。背中のあたりがむずむず、ぞくぞくします。ここにはコンビニや、ビルからもれる明かりもありません。前を提灯がぼんやりと照らすだけで、うしろのやぶのあたりは、すいこまれそうに真っ暗です。

　山が黒々とした壁になって、光を失った空にそそり立ちます。遠くから近くから、ガラガラとせまってくるカエルの声は、まるで、かずきを闇の中に追いこもうとしているように聞こえます。うしろをふり返らないよう、ひたすら前の人の背を追いながら、かずきは歩いていきました。

山のふもとに段々に広がる田をくだり、林をすぎて、橋をわたってさらに進みました。社の先に並んだ田を何枚かめぐったあとで、あつしが、きりだしました。

「あと一枚でおしまいだ。それ、かねを鳴らせ」

あつしの言葉に、かずきはほっとしました。これで帰れるのです。かねの音がひときわ鋭くカンカンと、夜空をつき抜け、太鼓の音が山にこだましました。

そのとき、かずきのそばで、小さな光がぽっと、ともりました。目で追うと、光は田の方にすいっと消えました。

「ほたるだ」

思わず一歩踏みだした足に、ぬるりとした感触がありました。
しまった。あぜを踏んじゃった……。
そう思ったとたん、かずきは泥につ
いた自分の足跡にすいこまれるよう
に、小さくなっていきました。
みんなはなにも気づかずに、先へ
行ってしまいます。
「わああ、待ってよ、みんな」
かずきは泥まみれで、ひっしであと
を追いました。

もうひと声、合唱し、かねや太鼓を鳴らすと、提灯行列は止まりました。

「舟を流すぞ」

村はずれにある田にそって、小川が流れていました。

あつしが神妙な顔で、舟に青菜や紙につつまれた穀物をのせていきます。わらでつくった小さな人形ものせました。

「だれか虫をとれ」

豊年丸（舟）は野菜や穀物、人形のほかに、その辺にいる虫がつかまえられ、のせられて完成します。

「もっと照らせ。草の根もとやら、よくさがせよ。最初に見つけた虫だぞ」

子どもたちの提灯の灯りがやわらかく重なり合い、地面を照らします。

かずきはみんなの足もとをすり抜けて、あつしの足もとにたどりつきました。

「あつし兄ちゃーん」

かずきはひっしで手をふりました。

「いた！　でけえぞ。どろんこだ」

だれかがそう言い、かずきは体がふわりと浮きあがるのを感じました。つまみあげられ、舟にポンと落とされたのです。

「ようし、送るぞ」

ごごくほーじょー
あくえきたいさん
ヨーイソラ　ヨイソラ
チキチン　ドンドン
チキチン　ドン

子どもたちの手で水面におろされた舟は、暗い川をすべっていきました。

◇◇◇

提灯行列が遠ざかるのを、かずきは舟から見ました。かねの音がかすかになり、やがて消えていきました。かずきが顔をくしゃくしゃにして、しゃくりあげようとしたとき、

「あんた、田の神をおこらせたね」

おどろいて、涙がひっこみました。声はすぐそばで聞こえました。

小川の両岸にはたくさんのほたるがいて、舟の中を照らしていました。

「あーあ。どろんこ。これならまあ、虫にまちがわれるのは無理な

いけど」

　うで組みをしながらそう言ったのは、わらの人形でした。

「あんたの、きれい好きなおばあちゃんが見たら、なげくね」

　人形ははぎれの着物を着て、桃色の帯をしていました。頭の上にもちょこんと、桃色のりぼんを結んでいます。

「ぼくのおばあちゃんを知ってるの？」

「知っているとも。あたいをつくってくれたのは、かずきのおばあちゃんだ。ほら、こんなかわいいりぼんまで」

人形が頭をかずきの方へつきだしました。

「あたい、桃色が大好き。そうだ、あたいのこと、モモって呼んで」

そのとき、ドボンと波が立ち、舟がぐらりとゆれました。舟底に倒れたかずきの上に、モモがのしかかりました。

「おっとととと」

モモの体からはみだしたわらがちくちくします。よっこらしょと体をおこしたモモをわきにやって、かずきはおそるおそる、舟べりから川をのぞきました。

川面に、ふたつの目玉が浮かんでいて、ついてきます。

「うわあっ」

かずきの悲鳴に、目玉はゲーロッと声をあげて、離れていきました。

「トノサマガエルのおばけだ……」

「カエルが大きいんじゃなくて、かずきが小さくなったんだよ」

そう、のんきそうに言うモモは、頭のりぼんを手でたしかめています。

「ちゃんと、ついてる？」

「ついてるよ。そんなことより、舟を止めなくちゃ」

舟は川の流れに乗って、とどまることなく進んでいきます。

「このままじゃ、海まで流されてしまう」

「この舟は、海には行かないわよ」

「そんなことないよ。川はぜんぶ、海とつながってるんだ」

かずきは前にお父さんが言っていた言葉をそのまま言いました。

「これ、虫送りの舟だもの。この世のはてへ向かうのよ」

「この世のはて？」

「そう。もうじき、この世のはての入口に着く。そこを通りすぎると、もう、二度ともどれない」

あたりまえのことのようにモモがそう言ったので、かずきはゾーッとしました。

「ぼく、この世のはてなんて、行きたくない」

「そう言ったって、もうじき水門よ」

モモがりぼんの向きをなおしながら言いました。

川の流れはますます速くなっていきました。まるで、細い穴にすいこまれていくようです。かずきは身をちぢめて舟のふちにつかまっていました。

とつぜん、ぴたりと流れが止まりました。舟が行き場を失って、たぷんたぷんとゆれたあと、動きを止めました。

おそるおそる顔をあげてみると、川は石の門にせき止められていました。門の上に赤い体の小鬼が立っています。

「ここは、この世のはてへの入口じゃ」

小鬼が甲高い声をあげました。

「水門を抜けるには、通し賃を置いていけ」

「通し賃の穀物はあるんだけど、ちょいと手ちがいがあってね」

モモにおしだされて、かずきはつい、ぺこんとおじぎをしました。

「ん？　これはおかしな虫じゃな」

金棒をカシャンとついて、小鬼はかずきをのぞきこみました。

「こいつはよく見れば、人の子じゃないか」

小鬼があきれたように言いました。

「この子、どろんこで、まるでいもむしだったからね」

「虫をのせずに舟(ふね)をだしたか」

ふんと鼻を鳴らすと、小鬼(こおに)は続(つづ)けました。

「だとしたら、村にわざわいはまぬがれんな」

かずきはぎくりとしました。

「村はどうなるの？」

「おまえたちが祈願(きがん)して田から追った悪疫(あくえき)は、虫に乗(の)り移(うつ)り、川をくだって、この世のはてへと送られる。じゃが、虫に負わせられなかった悪疫は村にとどまり、わざわいとなる」

「ああ、どうしよう……」

「まあいい。小僧、おまえが虫になれ。わしが祈願して送ってやろう」

小鬼の言葉にかずきはちぢみあがりました。

「お、送るって、どこに……」

小鬼がとがった歯を見せて、にんまりしました。ふたつの目玉が、銀の月明かりにチリッと光りました。

「この世のはてだ」

かずきはもう、がたがたふるえています。すると、モモがけろっとして言いました。

「虫をつれてきたらいいのよね」

「そうだ。だが、期限は朝日のさすまでだ。小僧、にげだすことはできんぞ」

小鬼ににらみつけられ、ふるえているかずきのかわりに、モモが答えました。

「わかった。ちょいと行ってくるよ」

「やつは今宵、どんどん力を増す。なんせ、おまえたちが村中から集めてまわったわざわいが、姿をなしたる虫だからな」

小鬼がケケケと笑いました。

「さあ、さがせ。舟にのせることができたなら、虫をこの世のはてへ送ってくれよう」

かずきとモモは舟から降りて、川のほとりをさかのぼって歩きはじめました。とちゅう、たれた葉先についている夜露で、体の泥を落としました。

どこかでふくろうが、ほーっと鳴きました。ここは、月だけが照らす闇の世界。そばを流れる川がコロコロとくり返しつぶやくのが、よけいにさびしさを感じさせます。

いまごろ、お母さんは病院で、産まれたばかりの弟におっぱいをあげていることでしょう。かずきがこんなに心細い思いをしているとは知らずに。かずきはしくしく泣きだしました。

「どうしたの」

モモがわらの手をさしのべて、かずきの頬にさわり、笑って言いました。

「さあ、行こう、行こう」

「いやだ。もう、動けないよ。懐中電灯だって持ってないんだもの」

「かずきは夜がきらい？　闇が心細い？」

「きらいだよ、どこもかしこも、真っ暗じゃないか」

しゃくりあげながらそう言ったとき、きらめく光がひと筋、かずきの足もとにとどきました。それから、いく筋も光が降りてきて、あたりを照らしました。

「明るくなった」

つい、うれしくなってそう言ったあと、かずきはドキンとしました。水門の小鬼が言っていました。朝日がさすまでに虫をつれてこないと、かずきをこの世のはてに送ると。

「朝だ。まにあわなかった！」

どこへともなく走りだそうとするかずきの服を、モモがくいっとひっぱりました。

「待って。これはへんだよ」

「うわあ、はなしてよ」

「まあ、お待ち。それに、耳をすまして」

モモの言うとおり、なにかへんです。朝が来るには早すぎます。

それに、夜明けにしては、空が明るくなっていません。闇のところどころに穴があき、そこから光がさしてくるのです。クシャクシャモシャモシャと、音も聞こえてきます。

「あそこになんかいる！」

かずきが指さした夜空に、はりつくようにして、一匹の巨大ないもむしがいました。虫は口をぶよぶよ動かして、闇を食べていました。食べられたあとにあいた穴から、光が筋になって、地面にとどいています。

「見つけた！」

モモが声をあげました。

「ほらほら、あれが、子どもらで追いだした悪疫だよ。さあ、つかまえて舟にのせよう」

「でも……」

かずきの顔はくもります。

「せっかく、闇を食べてくれたのに。あいつのおかげで、明るくなったよ」

モモがあきれ顔で、あたりを指さしました。

「まわりを見てごらんよ」

見まわすと、闇のやぶれ目からさした光にあたった草たちが、しなしなとうなだれています。葉のみどり色は茶色に変わり、草原は枯れ野原に変わっていくのでした。

「聞こえるよ、草たちが苦しんでいる。闇につつまれて夜は静かに眠りたいって。眠らなければ、自分たちは花を咲かすことも、実をつけることもできないって泣いてる。遠くで、山の木も困りはてている」

「おじいちゃんの田んぼも？」

モモが目をつぶって、耳をすましました。

「うん。闇がやぶれたといって、まだ小さい苗たちがおびえているよ」

おじいちゃんとおばあちゃんがつくった田んぼ。曲がった腰をのばしのばし、一生懸命に苗を植えたはずです。

「やめろぉ。やめろぉ」

かずきは虫に向かってさけびました。しかし、虫はかずきの言うことなんか聞こうとしません。むしゃむしゃと口を動かし続けます。闇のあちらこちらに穴があき、そのぶん、虫はどんどん大きくなっていきます。

小石をひろって、なげてみました。しかし、とても虫のところまでとどきません。

どうしよう、どうしようと頭の中で考えているうちに、言葉がひとりでに出てきました。

「ごこくほーじょー　あくえきたいさん　ヨーイソラ　ヨイソラ！」

かずきは虫に向かって、せいいっぱい声をはりあげました。モモもいっしょになって歌い、桃色のりぼんをゆらして、くるくる踊りました。のどを枯らして声をだし、一生懸命に祈りました。

するといつしか、虫の動きが止まりました。

さらに唱え続けると、虫食い穴からさしこむ光の筋が一本、また一本と消えていき、とうとう穴はふさがりました。虫はみるみる小さくなりました。ふたりのそばに、ぽとんと落ちてきたときには、かかえられるくらいの大きさになっていました。ひっくり返って、たくさんの足をざわざわ動かしています。

「ようし。舟に運ぶわよ」

かずきとモモとで、すっかりおとなしくなった虫をかかえ、歩調を合わせて走りました。

「いそげ、いそげ。それ、おいっちに、おいっちに」

まもなく、水門が川をせき止めてそびえているのが見えました。そのわきに、赤い小鬼の姿があります。

「おおい、門番。つれてきたわよ」

モモが声をあげると、小鬼がこちらをちらりと見ました。

「よおおし。水門を開くぞ。乗れい」

小鬼は水門の取っ手をにぎり、ぐるりぐるりとまわしました。モモが舟にころげこむようにして、乗りました。

「さあ、こっちへ」

虫の胴体をモモがひっぱり、かずきがおしこんで舟にのせました。

とびらの石が、ゆっくりと上にあがっていきました。開きはじめた水門に向かって、水がおしよせます。舟がぐうっと前方をさして、わずかに岸から離れました。

かずきは、はっとしました。

「モモ、降りなきゃ。早く！」

舟に向かって、手をのばしました。

「早く！　手をのばして。この世のはてに行っちゃうよ」

しかし、モモは笑って言いました。

「虫をつれ、水門をくぐり、舟を進めるのがあたいの役目さ。さよなら、かずき」

水門が開き、水しぶきをあげて、舟は門のむこうへととびこみました。

◇◇◇

舞いあがった水しぶきが、きらきら、まぶしく輝いたと思うと、かずきは村はずれの小川のふちに立っていました。

あわてて、川をのぞきこむと、おろされた小舟が離れていくところでした。

ぼうっとしているかずきの肩を、だれかがぽんっとたたきました。

「かずき、ちゃんとうしろを守ったな」

あつしです。でも、すぐににやっと笑って言いました。

「おまえ、顔に泥がついてるぞ」

月夜のお酒

重いリュックサックを背負い、ひとりであちらこちらを旅して歩いていた、あのころのぼくは学生でした。時間と自由がたっぷりあるのだろうと、まわりからは見えたかもしれません。でも、頭の中を占めるのは、将来をどう生きればいいのか、不安と迷いばかり。それをふりはらうように、ぼくは、ガシガシとひたすら歩いたのです。

あれは、四月の終わり。相棒のリュックサックを向かいの席に置き、ぼくは電車にゆられていました。たった一両しかないのに、車内はがらがらにすいていま

す。線路によりそうように蛇行する河川が、午後の日ざしに輝いていました。

この電車に乗ったのは、目的の場所があったわけではありませんでした。複雑に線路が交錯し、たくさんの列車がせわしなく発着する駅で、たまたま入ってきたこの場ちがいな小さな電車のことが、ひょっと気になったのです。コトンコトンとのんきに入ってきて、主人を待つ子犬のようにじっとしています。そのうち、両手に荷物をかかえたおばあさんが、よっこらよっこら、やってきて、ステップに足を乗せました。

と、おばあさんはよろっとバランスをくずしかけ、ぼくはあわてて、ささえようと、ステップに足をかけました。

「持ちましょうか？」

しかし、おばあさんは、

「だいじょうぶだよ、なれてっから」

そう言うと、すいっと車内に入っていきました。そのとき、発車のベルが鳴りました。

この日の行先も決めていなかったぼくは、なんとなく、そのまま電車に乗りこみました。

景色はどんどん、町から山里へと変わっていきました。単線なので、たまに向かいからやってくる電車があると、すれちがうために停車しなければなりませんでした。

太陽が山にさえぎられると、あたりはたちまち、夕暮れの色が濃くなっていきました。いつのまにか、乗客はぼくと、両手に荷物のおばあさんのふたりだけ。どうやらこの電車は、どこかの町に抜けることなく、山奥の終点に向かうようです。

（これはちょっと、やばいぞ）

ひき返した方が良さそうだと、つぎの駅で降りることにしました。そこでおばあさんも降り、からになった電車は遠ざかっていきました。

無人の、小さなプラットホームだけの駅に降り立ち、ぼくはたちまち後悔しました。時刻表を見ると、なんということか、帰りの最終電車はすでに出てしまっていたのです。

静かです。あたりにひとっこひとり、いません。おばあさんも行ってしまったようです。両わきに草のしげる田舎道を、ぼくはとぼとぼ歩きだしました。おなかもすいてきました。

「食べ物屋どころか、家もないじゃないか」

がっかりする気持ちはまもなく、ぞっと

する恐怖に変わりました。薄闇を照らすのは、顔をだしはじめた月だけ。ここには街灯すらないのです。リュックサックに簡単な寝袋は入っていますが、どことも知れない山奥で夜をすごす度胸は、とてもじゃないがありません。せめて無人駅の屋根の下ですごそうかと、ひき返しかけました。

そのとき、しげみの向こうに、ちらりと灯りが見えました。人が住んでいると思うだけで、ずいぶん気が大きくなりました。

一歩進むごとに、灯りはあたたかく広がっていきます。

あらわれたのは年代ものの、しっかりとしたかまえのお屋敷でした。しかも、軒先にのれんが出ています。

「食べ物屋か？　やった！」

ぼくはいさんで、のれんをくぐりました。赤みがかった薄紫色（うすむらさきいろ）の、縄（なわ）のれんがしゃらしゃら鳴りました。

――いらっしゃいまし
――いらっしゃいまし
――いらっしゃいまし

あちらこちらから、いっせいに声がしました。元気のいい明るい声です。

「いらっしゃいまし」

店の奥からとびだしてきたのは、のれんと同じ色の、紫のずきんに紫の前掛けをつけた男の子でした。

（こんな子どもが働いているのか）

ちょっとおどろいたのですが、その子がしゃきしゃきと応対をするので、気にならなくなりました。

「ここは、食べ物屋なの？」

「いいえ、お客さま。てまえどもは、宿屋でございます」

それなら、なおありがたいとぼくは思いました。今夜は泊まっていくことにしよう。

「ちょうど今宵は満月にございます。月を見るのに、とびきりの部屋をご用意いたします」

宿屋の奥から、つぎつぎと小僧さんたちがやってきました。

「はきものをどうぞ、お客さま」

「お荷物をお持ちしましょう、お客さま」

「お疲れではないですか、お客さま」

にぎやかな小僧さんたちにかこまれて、ぼくは部屋へと案内されていきました。

「月を見るには、このお部屋の縁側が一等良いのでございますよ」

そう言いながら小僧さんが、部屋の奥の、縁側につながる障子をあけました。なるほど、正面の闇に、黄みがかった月がぽかんと浮かんでいます。

「もうじき主がごあいさつにあがりますんで、どうぞごゆっくりとおくつろぎくださいまし」

小僧さんが縁側に置いていってくれたざぶとんに腰をおろすと、ほっと気がゆるみました。春の宵のなまぬるい風に、甘い香りがまざります。どこかに花でも咲いているのかしらと考えていると、うしろで、はりのある男の声がしました。

「失礼いたします。宿の主でございます」

顔をあげた男の顔には、立派なひげがたくわえられています。身につけている紫の着物からも、男の堂々とした風情を感じさせられました。

「今宵は満月。てまえどもには、満月の晩にだけあける、特別な酒があるのですが、一献いかがですかな」

そう言いながら、すでに男は、つやつやとした白い瓶と重ねた盃とを手にしています。いっしょにのみたくてうずうずしているようすが、うれしそうな顔からあふれています。居酒屋ではもっぱら安いソーダ割のぼくは、日本酒はあまり得意ではないのですが、こんな顔をされてはむげにことわれません。

「え、ええ」

ぼくがあいまいな声をだすとすぐに、男はこちらに歩みより、となりにどかりと腰（こし）をおろしました。

きゅっと音を立て、瓶（かめ）のふたがあけられたとたん、さっきからただよっていた花のにおいが、よりいっそう強くなったようでした。

「ささ、一献（いっこん）」

盃にとろりとつがれた酒に、月が映っています。コクリとやって、おどろきました。

「おいしい……」

なんともいえず、まろやかなのです。液体がのどもとをすぎ、体にじわりと広がるのを、ぼくはうっとりと味わいました。男はそんなぼくに、満足したように微笑みました。

それからぼくたちは、酒をくみかわしては、話をしました。酒のせいで、ぼくの舌はいつになく、よくまわりました。なんの話をしたのかは、あまりおぼえていないのですが、級友たちがつぎつぎと道を決めていくなか、取り残される自分は、なんの価値もない人間に思えるといった愚痴を吐いたような気がします。男は酒をのみながら、「ほうほう」とか、「そういうものですか」とか言いながら、終始にこやかに聞いてくれました。

月が銀色の皿になって上空にかかると、小僧さんたちが大勢出てきて、紫ずきんの頭をかわいらしくふりながら、歌と踊りを披露してくれました。しゃらしゃらと打ち鳴らされる手拍子を遠くに聞きながら、ぼくはいつしか眠りに落ちていったのでした。

「……にいちゃん、にいちゃん」

声をかけられて、ぼくは目をあけました。

「あんた、きのう、ここで電車を降りたにいちゃんだね」

ぼんやりと思いだしてきました。ぼくをのぞきこんでいるのは、きのうの、両手に荷物のおばあさんです。

「どこに行くのやらと思ったんだけど、まさか野宿だとは」

甘い花の香り……。

おばあさんの頭の上で、たわわにゆれているのは、あれは……。

「藤の花？」

「みごとだろ、こんなにあざやかな紅藤色は」

そうか、紅藤色というのか、この花の色。小僧さんの前掛けや宿の主人の着物と同じ、赤みがかった薄紫色……え？　宿はどこだ？

ぼくはあわてて、体をおこしました。頭のしんが、ガンとうずいて、思わず「ううっ」と声をあげました。ぼくは、一面の藤の花にかこまれ、その木の根もとにすわりこんでいたのです。藤棚から何百とぶらさがった花房が、それはみごとに咲きそろっていました。

「あの……、ここにあった宿屋は？」

おばあさんが、はあ？　という顔をしたので、ぼくはすっかり自信がなくなりました。考えてみれば、こんなさびしいところに大きな宿屋があるわけないのです。

「おやあ、あんた、酒をのんだね」

おばあさんの視線の先には、白い酒瓶がころがっています。

「はい……」

「うまかったろう」

ぼくはハッとしました。ゆうべのんだ酒だけはたしかにあるのです。もしかしたら、このおばあさんのものなのかもしれません。

「す、すみません。ぼく、勝手に……」

すると、おばあさんは首をふりました。

「いいんだよ、この酒の持ち主はもういないんだから。この辺じゃあ、酒を木の洞で育てるの。木から伝わる風の音や、鳥の声や、木の根っこの振動で、酒はまろやかになるの。酒は根っから、にぎやかなのが好きなんだろうね」

おばあさんがふふっと笑いました。

「藤棚つくって、この藤を大事にしていたじいさんは、一年前に往生したよ。そのじいさんのしこんだ酒を、藤の木が育てていたんだろう」

ぼくはうつろに、昨夜の宿のにぎやかさを思いました。どうりで酒がうまかったはずです。

おばあさんは、帰りの電車の時間を教えてくれ、去っていきました。

おだやかな日ざしの中で、満開の藤の花が、静かにゆれていました。

「ぼくで良かったのかな」

藤の木が大切にしていたお酒を、ぼくなんかがのんでしまって良かったのだろうかと、ふと思いました。でも、そろってゆれる藤の花は、「いいんだよ」と言ってくれているような気がしました。「きみはだいじょうぶだよ」とも。

地面から太くて立派なつたがからみ合って、藤棚にのびています。ぼくは半分ほどに減ってしまった酒瓶を、つたのすきまの空洞に置き、駅への道を歩きはじめました。

椿（つばき）

夏草のしげる庭に足を踏み入れると、小鳥たちがいっせいに飛び立ちました。玄関の鍵をまわし、引き戸をあけると、土間からひんやりとした空気が流れてきました。

「ただいま」

小さな声で言ってみました。答えてくれる人はいません。老いた母が倒れて以来、実家は空き家に。兄弟の足も遠のいていました。

箪笥やちゃぶ台、型遅れのテレビ。置き去りの家具たちはみな、息をひそめて眠っているようです。カーテンのすきまから入る午後の光に、埃が、青白い筋になって輝いています。光の筋は部屋のすみに置かれた母の三面鏡にのびていました。

わたしは窓をあけはなちました。掃除機で家中を掃除し、うっすらと積もった埃をふいてまわりました。最後に壁の掛時計のねじをまわしました。するとなにか、家が目をさましたよう。いまにも母が「よう来たね」と、台所ののれんをゆらして、顔をのぞかせるのではないかと思えるのでした。

掃除がひと段落して、額の汗をぬぐうと、化粧台が目に入りました。

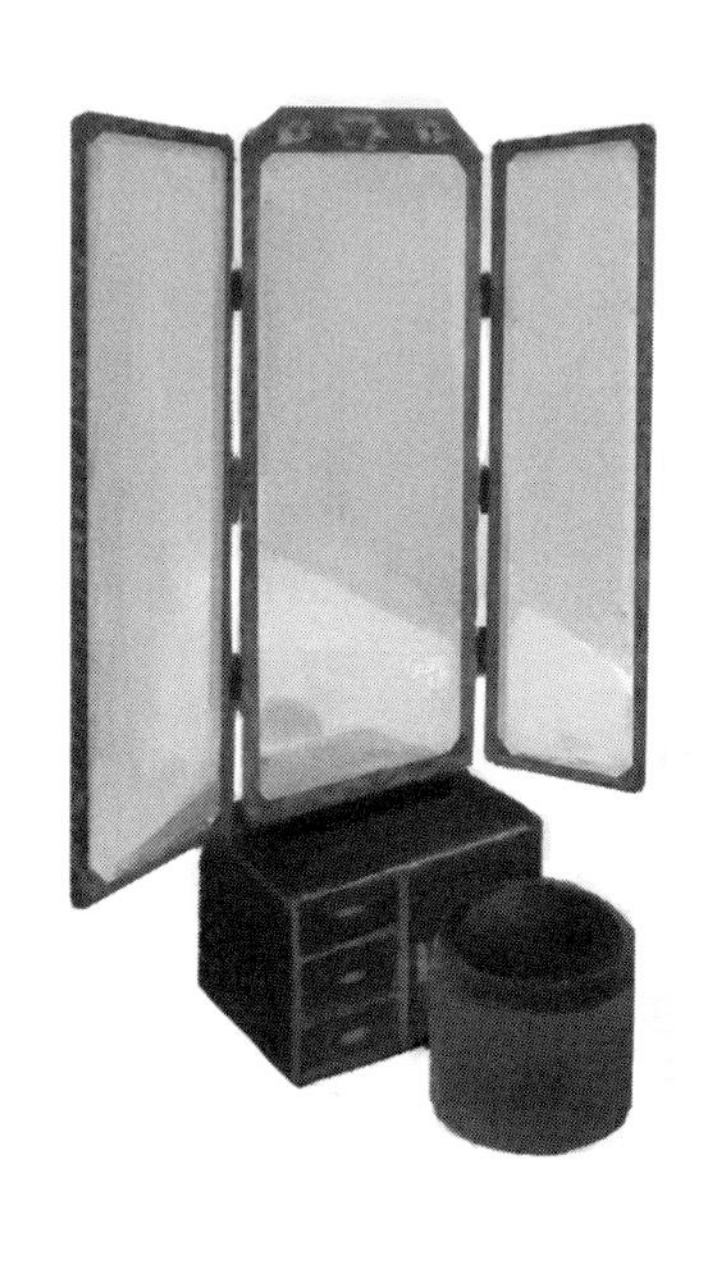

　三面鏡の化粧台は母が嫁ぐとき、持ってきたものです。嫁ぐ母に、祖母がこれだけはと工面したもので、戦後、なにもない時代のものにしては、鏡のまわりに千鳥の彫りものを施したなかなかモダンなつくりをしています。子どものころ、鏡の前に腰かけて、ブラシ

で黒い髪をふくらませる母を見ているのが、好きでした。

わたしは丸いすに腰をおろし、鏡を開きました。そこに、母とよく似た顔が映しだされました。似てはいるけど、母とはちがう……暗い表情。そのときのわたしは、自分には負いきれないと思える苦しみに、疲れきっていたのです。思わず、鏡から目をそらしました。

「おかあちゃん、聞いてもらいたいことが、いっぱいあるよ。ねえ、おかあちゃん、わたし、どうしたらいいのかな……」

ほんとうは母に直接言えばいいのかもしれません。でも、片手が少し動くくらいで、あとは自由のきかない体で眠っている母に、そんなことを言っても、どうしようもないとわかっているのです。介護施設で暮らして、すっかり痴呆の進んだ母は、娘の顔さえ、わからないことがありました。

化粧台の中に、使いかけの化粧品にまじって、椿油の瓶があるのに気づきました。赤い椿の描かれたふたを取ると、とたんにハッとするような懐かしいにおいが広がりました。

母は病気になってからもしばらくは、髪の手入れを欠かしませんでした。でも、施設に入り、白くなった頭をざんばらに刈ってしまってからは、身なりにもかまわなくなりました。薬のせいでぱんぱんにむくんだ頬を赤く染め、好物のアンパンにかぶりつく顔は、幼い子どものよう。

（身なりにかまわないのは、わたしもいっしょか。白髪だって、いつのまにこんなに……）

伏せた目のはしで、ふと、なにかがゆれました。鏡に映る顔のまわりで、白いものがちらちら動いているのが見えます。

右の面に窓の景色が映っています。枝をのばし放題の庭木に、古びた物干し台。そのまわりで、白いものがちらほらと舞っています。

「……雪？」

そんなばかなとふり向くと、窓の外はやはり、晴れわたった夏の景色。しかし、鏡の中のわたしには、はらはらと白いかけらがふりかかっているのです。思わず肩先をはらいました。冷たいものがふれるかと思ったのですが、感じたのは肩のぬくもりでした。

角度を変えたり、閉じたりあけたりしているうちにも、鏡の中に、雪は音もなく降り続きます。雪は庭を白くおおい、景色をかすませました。そのうち、鏡はこちら側を映さなくなりました。その向こう側では、ただただ、雪が降り積もっています。

際限なく落ちてくるはかないかけらを、わたしは夢中になって見つめていました。

鏡の中の雪がやんだようです。雪はふっくらと積もっています。

（あのまっさらな雪にさわってみたい）

わたしがそう考えたとき、灰色の小さな生きものが、雪の上をちょんちょんとはねるのが見えました。

「小鳥……？」

雪の上に松葉型の足跡が点々とつきます。

チヤ　チヤ　チヤ
チヤ　チヤ　チヤ

鳥は鳴きながら、ときどきふり返り、黒い瞳でこちらをじっと見つめるのです。なんだか自分が呼ばれているような気がしてきました。鳴き声がしだいに遠ざかっていきます。鏡から尾羽が消えそうになったとき、わたしは思わずさけんで身を乗りだしました。

「ちや子はここにおるよ！」

おるよ……。

白い世界にこだまする声が自分のものだとわかったとき、わたしは雪の上にいました。

「冷たいっ」

素足がくるぶしまで雪にうまっています。半そでシャツにしみていた汗が急に冷えて、からだがこごえました。

身をちぢめてあたりを見まわすと、灰色の空の下、雪だけが、どこまでも続いていています。口から息をぼうぼうと吐きだしてふるえていると、鳥がまた、ちょんちょんと、歩いていくのが見えます。

「待って……」

わたしは小さな足跡をたどりました。

いつか感覚がなくなってしまった足で雪を踏み、ひっしで鳥のあとを追いました。

ポト。

ふと、小さな音がしました。千鳥の足跡をさえぎるように、ひとつの赤い花がころがっています。

顔をあげると、雪の中から一本の木がすっくりと立ちしげっていました。真っ白な世界に、きらめくような紅。花を満開に咲かせた椿でした。そのあざやかさに、ぼうぜんと立ちすくみました。

そのとき、肩に、なにかがふさりとかぶさったのを感じました。懐かしい椿油の香り。わたしは、毛糸のあたたかなストールにつつまれていました。

見あげると、つたの籠を手にした母が、微笑んでいました。

「おかあちゃん……」

「ちや子、いっしょにひらおうや」

母は腰をかがめ、木のまわりに落ちた花をひろいはじめました。

雪を軽くはらっては、籠（かご）に入れていく。そのひとつを髪（かみ）にさし、「どう？」と言って、ほがらかに笑（わら）いました。黒く波打つ髪の毛に、椿（つばき）の花がよく似合（にあ）っています。そして、わたしは子どもにもどっていました。

木の下には、枝（えだ）からぽっこりと離（はな）れた花が、いくらでも落ちていました。

「ここにも、あ、そこにもほら、落ちとるよ、おかあちゃん」

わたしはすっかり夢中（むちゅう）になっていました。母とわたしは雪の上をはねまわるようにして、花を集めました。ひとかかえほどの大きさの籠が、まもなくいっぱいになりました。

「ちや子、もうええよ。これを売りに行って、ちや子の長靴(ながぐつ)を買おうねえ」

「うん。あ、待って。まだそこに、雪にうまっとるのがあるよ」

わたしは木の陰(かげ)にしゃがみました。

「ほら、行くよ。ちや子」

「ここにもきれいなのがあった」

「ちや子……」

チヤ　チヤ……

「おかあちゃん、ほらっ」

顔をあげると、そこには自分の顔がありました。雪のひとかけらも残っていません。

わたしは鏡の向こうを懸命にのぞこうとしました。けれど、自分の顔がじゃまになって、できないのです。左右の鏡を動かしても、そこにはただ、自分の横顔が映るだけでした。

掛時計がよどんだ鐘の音で夕刻を告げました。

わたしは立ちあがり、戸締まりもそこそこに、実家を飛びだしました。

日が山の向こうにかくれたばかりの田舎道を、わたしは走りましたた。停留所にはちょうど、街に向かうバスが止まっています。バスはブルンと車体をゆらしました。ドアが閉まりかけています。

「待って！　乗りまぁす」

バスには、四、五人ほどしか乗客はいません。息が落ち着くにつれ、どうして急に居ても立ってもいられなくなったのか、自分でもわからなくなりました。ただ、いまでもまだストールの香りが、鼻の奥に残っています。

車窓から見える空の色が水色から濃紺に変わり、そこに自分の顔が映しだされるころ、バスは街に入りました。バスを降り、小走りでコンビニの角を曲がったあと、思いなおして、コンビニにひき返しました。

そこでアンパンをひとつ買いました。夕飯が終わったばかりなのにこんなものを買っていくと、職員さんにしかられるかしら。でも母は、わたしの顔を見るといつも、アンパンをねだるのです。

コンビニの先の白い建物に入り、階段をあがります。四人部屋の窓側が母のベッドです。

「おかあちゃん、アンパン、買うてきたよ」

小さくつぶやきましたが、母は目をさましません。近づいて顔をのぞきこむと、母は軽い寝息を立てて眠っていました。楽しい夢でも見ているのか、少し笑っています。

いすをひき、かすかに上下するふとんにもたれかかりました。

「ちや子も楽しい夢を見たよ」

子どもにもどって、椿の木の下で、母とすごしたひとときが、夢からさめてもなお、胸にとどまっていました。母のふとんに顔をうずめていると、知らないうちに涙がしみていきました。

ふと懐かしい香りがします。気づくと、母が動く方の手で、わたしの頭をなでてくれていました。「よしよし」と言いながら、なでてくれました。

ふっと肩から力が抜けました。かわりにおなかのあたりから、力が湧いてくるのを、わたしは感じていました。

ロボット登校

ロボット登校を文部科学省が認めたというニュースの流れた翌日。翔也に、父親が一台のロボットを買ってきた。

「ほら、翔也。見てみろよ、すごいぞ。こいつがおまえのかわりに小学校にかようんだ。ロボットの目を通して、おまえは授業を受ける。部屋にいても、おまえの声は教室にとどくんだ」

父親が興奮した声でしゃべりながら、テープをはがしたり、ガタガタとなにかを取りだしたりする音を、翔也は部屋のドア越しに聞いた。

「まだ、一般には出まわってないんだぞ。取引先のつてで、手に入れたんだからな。数量限定の先行発売だ。ええと……、こっちの水中めがねをつけるわけか」

ちっと、翔也は舌打ちした。

（VRゴーグルだろ）

ロボットのカメラを通して送られてくる視覚情報を、リアルタイムで立体的に受け取るコンテンツが世の中に普及しはじめたのは、十年ほど前だ。いまでは遠方から集う会議も、これが主流だ。移動に時間と金をかけ、一堂に会する必要はなくなった。遠く離れていても、そこにいるのといっしょだ。

その風潮を受け、このたび、ロボット登校が認められた。

翔也のような、学校に行けない子どもには、かわりに専用のロボットを登校させる。子どもは自分の部屋にいながらにして、学校生活を〝体験〟できるというわけだ。

一か月後の四月上旬には、登校用ロボットの本格的販売もはじまる。

「思えば、四年生の夏休み明け。おまえが学校に行かなくなって、父さんも母さんも、ずいぶん悩んだ。春になれば、もう、六年生だ。こんな日が、ずっと続くのかと思っていたが……」

ずるっと鼻水をすする音がした。

「なあ、画期的じゃないか。このロボットをかわりに学校に行かせれば、もう、翔也が学校にかよっているのと同じなんだ。だれも、おまえを不登校とは言わないんだぞ」

父親の声は一転。はずんでいた。

（べつに、不登校と呼ばれて困ってるわけじゃないし……）

だが、翔也のつぶやきは、物音にかき消された。部屋の外で、ピキッという音とともに、「ひょっ」と、父親の声がした。いまのはやばいと、翔也にもわかった。

思わずドアをあけた。

あぐらをかいて、ぽかんと口をあけた父親と目が合った。足のあいだに、三歳児くらいの大きさのロボットがおさまっている。胴体から直接、車輪が出ているので、人間の足の分の身長がない。

想像したとおり、父親はトリセツを開くことなく、ロボットの背のとびらをこじあけようと格闘しているところだった。

「ぼくがやるから」

なにもわかっていない父親から、機械が適当にさわられるのを見るのがやりきれなかった。

翔也がタブレット端末のアプリを操作して、ロボットをセットアップするようすを、父親が終始感心しながら見ていた。

ひととおりの設定を終えて、接続ボタンをクリックすると、ロボットの額に生命のいぶきを感じさせる光が走った。

「こんにちは」

父親がびくりと、ロボットを見た。

「しゃべったぞ。しかも、おまえそっくりに」

「ぼくの声を登録したから」

ヘッドホンつきのVRゴーグルをつければ、ロボットの目も耳も、翔也のものになる。

父親が目を輝かせた。

「これを教室に置いておけば、準備完了だ。さっそく、学校に持っていこう」

「え……、使うの？」

「あたりまえじゃないか。そのために買ったんだぞ」

だまりこむ翔也に、父親はにこやかに言った。

「だから、おまえは行かなくていいんだ。学校に行くのは、こいつなんだから」

ロボットの目が、無邪気に翔也を見あげていた。

「とにかく、一度、やってみろ」

父親のこのセリフは、これまで何度も耳にした。このセリフで一歩を踏みだせたことは、一度もなかった。しかし、今回は、自分でセットアップしたものを、ちょっと試してみたい気持ちにもなった。

その晩、翔也はなかなか寝つけなかった。

ロボット登校とはいえ、ほぼ一年半ぶりの学校なのだ。自分の中では、小学四年の夏休み明けから、世の中の時間は止まっていた。

いまさらあらわれて、みんなからどう、思われるだろう。いっそ、だれも自分のことを知らないと良かったのに。

「そうだ。もし、いやな気持ちになったら、電源を切ればいい」

自分にそう言い聞かせて、やっと、眠りに落ちた。

翌朝、母親からおこされて、寝ぼけながらパンとハムエッグを食べ、始業時間に合わせてなんとか、つくえの前にすわった。両親が、ドアの外で耳をすませているのを、翔也は感じた。

VR(ブイアール)ゴーグルをつけ、接続(せつぞく)ボタンをおす。

「うわっ」

翔也(しょうや)はのけぞった。いきなり、目の前に顔がせまってきたのだ。たくさんの、顔、顔、顔。みんな、きらきらした目で翔也を見ていた。少しだけ、大人っぽくなった同級生たち。

「おはよ」

そう、笑顔を向けてきたのは、四年生のとき、クラスでいちばん人気のあったみうちゃんだ。

(ど、どうしよう)

マイクに向かってしゃべろうとしたが、思ったとおり、緊張で声が出ない。でも、これなら……。

翔也は端末に文字を入力した。

「おはよう」

翔也の声がロボットの口から流れたとたん、キャーという歓声があがった。「かわいい」という声も聞こえる。

「目が赤く光った。うさぎみたい」

「フォーカスしたんだ。ピント、だいじょうぶ？」

「やっほー、元気にしてた？」

笑顔とともにぜんぶ、翔也に向けられた言葉だ。

意外だった。自分なんて、教室にいてもいなくても、どうでもいい存在だと思っていた。でも、それは思いすごしだったのだろうか。

頭の中に、わけのわからない感情がうずまいた。

「ね、なにかしゃべって」

おそらく、自分はいま、一瞬、かたまっていたのだろう。翔也は頭をふって、キーボードに指をすべらせた。

「ピント、ばっちり。ひさしぶりだね。ぼくは元気だよ」

指はするする動いて、ロボットからは、翔也の声がなめらかに流れた。また、キャーという声につつまれた。

チャイムが鳴り、教室に先生が入ってきた。

「お、来てるな」

若いはつらつとした男の先生が、翔也に微笑みかけた。

教室移動のときは、みんなが競って、ロボットの翔也をだいて運ぼうとした。胴体についている車輪で、ある程度の移動は可能なはずだが、みんなは翔也から離れなかった。

翔也はたしかに、そこにいた。頭を動かすと、教室の窓を通して、青い空に白い雲が、まぶしく浮かぶのが見えた。

　帰りの会が終わり、みんなが翔也に手をふって教室から出ていくのを見とどけてから、翔也はロボットの接続を切った。
　ゴーグルを取りはずし、いすでのびをした。立ちあがって、カーテンをあけ、ついでに窓もあけた。そこには、さっき、教室から見た空が広がっていた。

ロボット登校をはじめて、二週間ほどで学校は春休みに入った。

休みに入っても、朝になると体は、一定の時刻に目をさました。ロボット登校する前は、朝食と昼食はいっしょだった。でもいまは三食をしっかり食べているせいか、ひょろひょろしていた体が、心なしかしっかりしてきた。

テレビから、朝の地域ニュースが流れていた。翔也のコップにミルクをつぎながら、母親がふと、言った。

「もうすぐ、お花見のシーズンね」

しかしすぐに、はっとしたような顔になったのは、息子がもう長いこと、外を出歩いていないことを思いだしたからだ。

「母さん、ぼく……」

翔也は食べかけの食パンを皿に置き、小さな声で言った。

「学校に行ってみようかな」


春休みが終わり、始業式の日を迎えた。

まっさらな靴で、翔也は学校までの道を、一歩一歩踏みしめるように歩いた。道のどこからか降ってきた桜の花びらを手のひらにのせ、歩いた。

ひさしぶりの登校で、速度配分をあやまったらしい。少し遅れてしまった。もう、だれも歩いていない廊下を小走りして、教室のドアをあけた。

人間のいない教室で、たくさんの赤い目がいっせいに、翔也（しょうや）を見た。

龍(りゅう)の衣(ころも)

こじか保育園にある大きなケヤキの木は、枝を園庭いっぱいに広げていました。そのごつごつとした太い幹に、子どもたちがだきついたり、よじのぼったり、まわりでおにごっこをしたりしながら成長するのを、ケヤキはずっと見守ってきました。しかし、ケヤキはここのところ、立っているのが辛いと感じるようになりました。ケヤキはもう、八百年も生きている老木なのでした。

盛りあがった根っこの陰にかくれるようにして、いつもひとりであそんでいる小さな男の子がいるのに、ケヤキは気づいていました。

男の子が幹にすがると、ケヤキはその子の考えていることが、すっかりわかりました。その子はさとしという名前でした。さとしはよく根っこの陰で、土だんごをつくったり、絵本を読んだりしました。

それは、お昼ごはんが終わったあとのことでした。教室でいちばん背の高い男の子が、チョコレートのおまけのカードを、つくえの上にずらりと並べていました。テレビマンガで人気のキャラクターカードは窓からさしこむ午後の陽に、キラキラと七色に輝いていました。

背の高い男の子はクラスの子たちに、好きなカードを選んでいいよと言いました。カードはまぶしくて、さとしはうっとりとつくえの上に手をのばしました。そのとき、背の高い男の子がぴしゃりと言いました。

「さとしくんには、あげるって言ってないよ」

さとしは、のばしたツノにいきなりふれられたカタツムリのように、さっと手をひっこめました。それから、床にすわりこんで、絵本のページをめくりました。でも、絵本はいつものように、物語の中にさとしを迎えてくれませんでした。

しばらくすると、ふいっと風が吹いて、なにかがひらひらと、さとしのそばに落ちてきました。ドキンとしました。さっき、いちばん、ほしいと思ったキャラクターのカードでした。たまに買ってもらうチョコレートには、なかなか入っていない種類のものでした。

カードを手に取り、そっと見あげると、だれも気づいていないようでした。さとしはカードをにぎった手をポケットにつっこむと、教室を出て、うわばきのまま園庭を走りだしました。

ケヤキのうしろにかけこみ、小さな背中をけやきの木にぴったりとくっつけて、たたずみました。

「どうしよう……」

にぎりしめた手が、ポケットの中でふるえました。自分が友だちのものをぬすんでしまったことに、気づいたのです。手に入れたうれしさより、罪の意識の方がずいぶん強い力で自分をしめつけること を、生まれてはじめて知ったのでした。

(返せなくなっちまったんだね)

ケヤキには、男の子のとまどいと、激しく打つ心臓の音が伝わってきました。

(いいよ。預かっておくさ)

ケヤキは静かに、こずえをゆらしました。

(ここに置いておゆき)

さとしはポケットからカードを取りだし、ケヤキの幹の、ひび割れた皮のすきまにさしこみました。もう、どこからも、そこにカードがあるなんてわかりません。

男の子はやっと、ほっと息をつき、教室にもどっていきました。

（わたしはこれまで、いろんな預かりものをしてきた。品は変わっても、どれも、こんなふうな、にがい思いがこめられていたっけねえ。そして、たいてい、だれも取りに来ないんだよ）

子どもたちは、お昼寝の時間になったのでしょう。園庭はすっかり、静まり返っています。枝の小鳥たちもまどろんでいるのか、まるで、時が止まってしまったかのようです。

（あれは、大きな嵐が来て、わたしの枝が一本折れてしまった年だったね）

ケヤキは遠い日を思いだしていました。

(つやつや光る長い髪の少女がいた。髪を結って嫁ぐのだと指折り数えていた。でも、ある日とつぜんに、その髪をばっさり切ってやってきたかと思うと、わたしの根もとにくしをうめたんだ)

そのとき、幹にふれたその白い手から、漁に出たまま帰ってこない青年のおもかげが伝わってきたのでした。

(あの子はとうとう、くしを取りに来ることはなかったね)

くしは根がのびるにつれて、地中深く、もぐっていきました。

(そうそう。その根っこにもたれて、木をけずっていた若者がいたっけ。あれは、激しい戦のあった年だった)

若者がけずっていたのは、幼い弟にやるための木の短刀でした。ある日、けずりかけの刀を、幹にできたわずかなすきまにはさんで、若者は戦におもむきました。森の向こうで火の手があがるのを、ケヤキは見ました。取りに来る者のなかった木の短刀は、長い年月のうちにいつしか、幹の皮にくるまれて、ケヤキの中にあるのでした。

いまは『こじか保育園のケヤキの木』とだれからも呼ばれていますが、そういう名前になったのは、ケヤキにとって、つい最近のことなのです。八百年も生きているあいだに、まわりの景色もずいぶん、変わりました。

この世に生を受けたとき、ケヤキのまわりには、仲間の木がいっぱいいました。森は切り開かれ、月日は流れ、村はずれの木になりました。集落の木や、お屋敷の木のこともありました。お寺の木になって、そしていまは、お寺の敷地の中にあるこじか保育園の木です。

まわりに暮らす人々も何代もかわりました。そのときそのときの子どもたちはいつも、こっそりと、ケヤキに預けものをしたのでした。

(たくさん預かってきたけれど、いちばん忘れられないのは……)

ケヤキはふるえるように枝をゆらしました。

(龍の衣だよ)

それはずいぶん、昔のことでした。しかし、そう言っても、そのころのケヤキはすでに二百年を生きている立派な木でした。木の中ほどに穴があき、大きく深い洞ができていましたが、さしさわることはなく、木は元気に枝を広げていました。たまにアオゲラなんかが巣をつくろうとよってきて、その穴の深さにあきらめて飛び去りました。

そのころここは、舞やお芝居をする一座の集落でした。

ケヤキのそばには、座長の一家が暮らしていました。座長は芸事にたいへん厳しい男で、息子にも幼いころから、容赦なく舞をしこんでいました。息子はけいこ中に父親にしかられては、よく、ケヤキの木のうしろでひとり、泣いていました。

一座はあちこちの村で市の立つ日に、舞とお芝居をしました。日に日に人気が出てきて、遠くからも呼ばれて出かけていくようになりました。人気が出たのにはふたつ、理由がありました。そのひとつは、座長の息子の舞でした。美しく、凛としたその舞は、人々の心をとりこにしました。そしてもうひとつには、この一座が宝の衣を持ってい

るといううわさが広がったことです。ご利益にあやかろうと、見物人が集まりました。

ある日、都にたいそう立派な寺が建てられました。その建立の儀式で、一座は踊りを披露することになりました。式には殿さまもおでましになるといいます。座長の息子は十三歳になっていました。

式の朝早く、殿さまの使いがやってきて、座長である父親に申しつけました。

「本日のだしものでは、龍の衣を着けるようにと、殿さまのご命令である」

この言葉を聞いた座長は、たいへんおどろきました。いったんは、

頭を床にこすりつけるようにしてことわったのですが、使いは「殿さまのご命令である」とくり返すばかりで、受けつけようとしません。

土地に住みつき、人々をおそってあばれる龍を成敗したのが、一座の祖先でした。そのときに、龍の背中の皮をはがしてつくった衣こそ、一座に代々伝わる宝物でした。ところが、これまでだれも、その衣を羽織ってみたものはいませんでした。死んでなお、龍の霊力は衣に宿っていると、一座の者はおそれたのです。

　このたびの演目は、海の底にうばわれた宝物を取り返すために、海にもぐった海乙女の物語でした。恋しい人のために宝物を取り返すことはできたけれど、乙女は命を落とします。死んで海の龍となった乙女を演じるのが座長の息子でした。

「あなた、どうぞやめさせてください。龍の衣など、なんのたたりがあるやしれません」

　庭のケヤキの木のところまで、息子の母親の悲痛な声が聞こえてきました。

「しかし、殿のお申しつけだ。ことわれば、一座は取りつぶされてしまうだろう」

「龍の衣は、羽織った者を、人ではないものに変えてしまうというではありませんか」

「それは、言い伝えにすぎん。これまでだれも、あの衣を身に着けたものはおらんではないか。それに……我が息子なら、衣を着けるにふさわしいと、わしは思う」

「わたしはおそろしい……」

母親は、わっと泣きだしてしまいました。

このやりとりを聞きながらケヤキは、

(すぐに、あの坊が泣きに来るな)

と、胸を傷めるのでした。ところが、少年が家から出てくるようすはありませんでした。

そのうち、一座は道具をのせ、旗を立てた荷車をつらね、にぎやかに出かけていきました。

そうして、すっかり日も暮れたころ、再び、一座の荷車の音が聞こえてきました。

舞台が大成功したことは、一座の活気あふれる歓声から、ケヤキにも伝わってきました。

屋敷ではすぐに、酒宴がはじまりました。

「いやあ、今日の海乙女の美しかったこと」

「美しくまた、鬼気せまるものがあったなぁ」

「衣が輝くのを見たか？」

「おお。海乙女が悲しむ場面、喜ぶ場面になると、うろこが銀色にまばゆく光りおったわ」

「殿も大喜びだったな」

夜遅くまで続いた宴もようよう終わり、だれもが寝静まった夜中、屋敷のふすまが開いたのに、ケヤキは気づきました。

月明かりのさす縁側にすべり出たのは、ひとりの乙女でした。乙女は輝く銀の衣を身にまとい、ふわりと地面に降り立ちました。

帯はほどけ、縁側から地面にたれたまま、残されました。美しい衣のすそが夜露にしめった土で汚れるのにかまわず、乙女は庭を歩きまわるのでした。

はて。どうも、ようすがへんだと、ケヤキは思いました。

乙女は衣の胸もとやそでを、ひきちぎらんばかりに、ひっぱっては、歩きます。背をまるめ、「ハッハッ」と、まるで獣のような荒い息づかいです。

乙女は、ケヤキに顔を向けました。その目が、夜中に屋敷を横切るキツネの目のように光りました。

（あれは、坊……！）

ケヤキはざわっと音を立てたこずえを、あわてて静めました。

座長の息子の顔はこわばり、くちびるがわなわなふるえていました。

「ぬげない……衣がぬげない……」

少年はキッと顔をあげると、はだしの足で地面をけって、走りだしました。

庭中をぐるぐる走りまわります。少年がそばを通ると風がおこるのを、ケヤキは感じました。

走れば走るほど、少年は疲れるどころか、力が増してくるようでした。なびく銀色の衣が、月明かりに輝く光の帯になって流れました。

やがて、庭をめぐる光の帯は、環になりました。あまりの速さに、もう、少年の姿かたちを確認することもできません。庭にはただ、銀色の風がごうごうとうずまいています。ケヤキは吹き飛ばされないよう、しっかりと根を踏んばらないとなりませんでした。

ふいに、光の環は浮きあがりました。それは屋敷の屋根を越え、夜空へかけあがっていきました。

ケヤキが「あっ」と思ったとき、銀の帯がまっすぐに自分の方に向かってきました。

――タスケテ

そう、声が聞こえたと思った瞬間、一匹の龍がケヤキの洞に飛びこんできたのでした。

風はおさまり、庭はしんとなりました。

ケヤキがほっと息をつくと、体の奥の方で、なにかがかすかな音を立てました。根もとに白い花びらが数枚散っているのに、ケヤキは気づきました。風にゆらいだ、シャリッという冷たい音に、ケヤキはそれが花びらではないことを知りました。

(これは、うろこ)

ケヤキは、蛇が幹をはいのぼっていくときの、ざらりとした感触を思いだし、ぞっとしました。ただ、蛇のうろこに似ているけれど、くらべものにならないこの大きさは……。
（わたしは龍を飲みこんだのか）

園児たちはみんな家に帰り、だれもいなくなった園の上には、星がまたたいていました。
思い出からさめて、ケヤキはふと、気づきました。
（わたしがこの歳まで元気でいられたのは、もしかしたら、龍の衣のおかげかもしれない）

思いきり、体をのばすように、こずえを鳴らしてみました。さらさらという、葉ずれにくわえて、シャリッというかすかな音が、体の奥から聞こえてきました。洞の入口も、長い年月のあいだにまわりの皮が盛りあがって、いつのまにか閉じていました。

（ああ、なんて長いあいだ、ここに立ったままでいたんだろうね）

体の中で、なにかが目ざめるのを、ケヤキは感じました。ドクンドクンと、規則正しくリズムをきざむものがあります。

（飛ぶってどういうことだろう）

とつぜん、思いついたことでしたが、いまならできそうだとケヤキは感じました。

ケヤキはすっと背をのばしました。こずえをぐうっと天に向かってのばしました。いっぱいに、いっぱいにのばしました。

ごごっと音を立て、地面が盛りあがりました。幹がぶるぶるふるえています。熱い空気が根っこからかけあがって、幹を伝い、葉っぱのすみずみまでゆきわたりました。

(行け!)

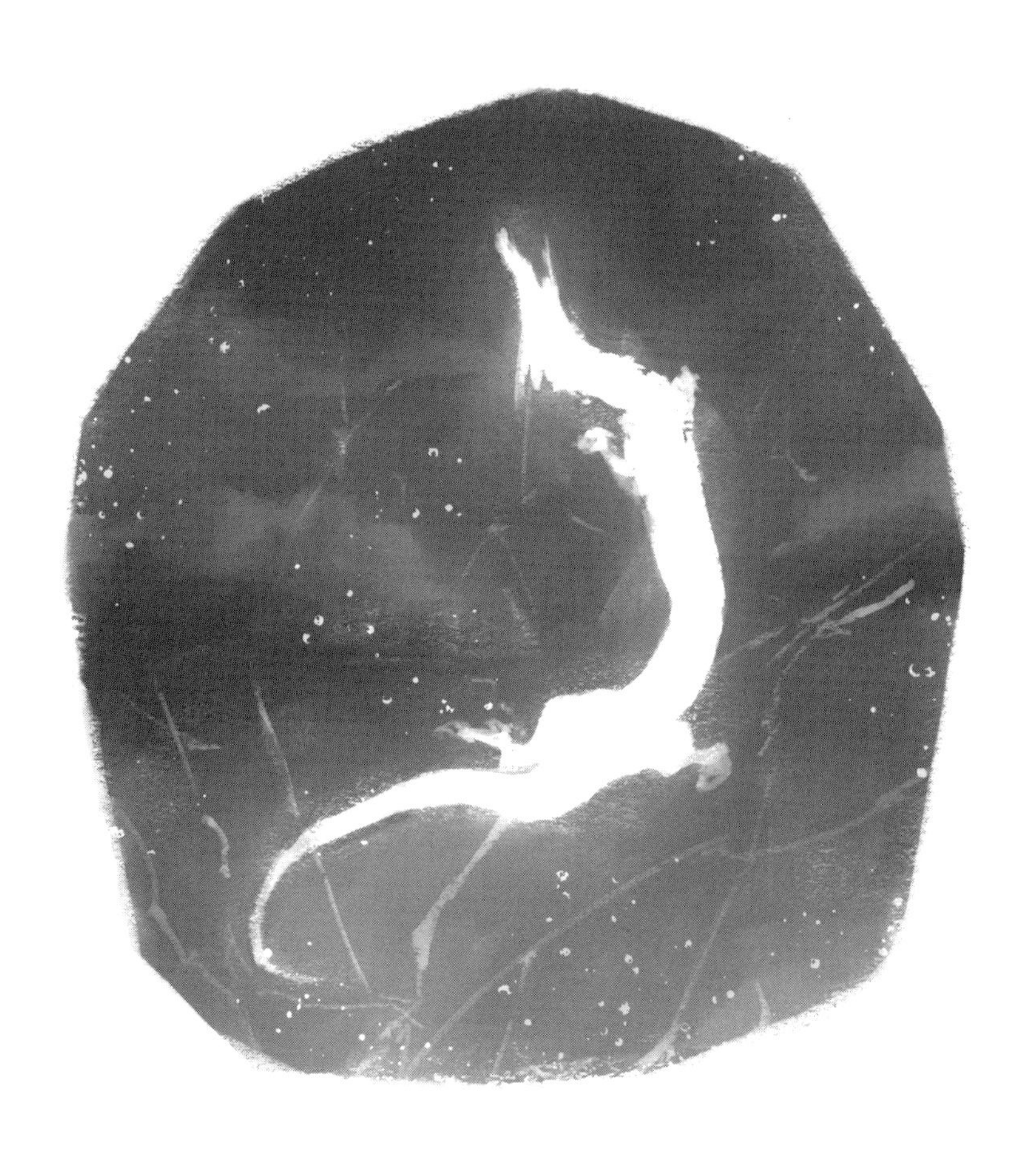

ケヤキは大地から飛びだしました。ザンザと降りしきる雨のように葉を落としながら、夜空をかけあがりました。ケヤキの姿は一匹の龍に変わっていました。

龍は赤くいなずまをおこし、風をまきあげ、高く高く、のぼっていきました。

つぎの朝、こじか保育園では、登園してきた子どもたちやお母さん、先生たちが園庭をあぜんとながめていました。

さとしはお母さんの手をぎゅっとにぎって、ぽかんと口をあけたまま、園庭から動けないでいました。

「お母さん。木は枯(か)れちゃったの？」

「そうね、でも、たったひと晩(ばん)でこんなになるなんて……たぶん、ゆうべ、雷(かみなり)が落ちたのね」

ケヤキはすっかり、葉を落とし、幹(みき)も枝(えだ)も真っ白に枯れはてていました。園の庭中に積(つ)もった葉が風に舞(ま)い、まるで波立つ海のようです。

ゆうべ、雷鳴(らいめい)がひびき、空がカッと光るのを、さとしもたしかに見ました。

さとしは、かわいて白くなった幹にふれました。きのう、取ってきてしまったカードをどうしたらいいかわからず、苦しかったとき、だれかが「預かってあげる」と言ってくれたような気がしました。さとしは、それはケヤキの木が言ってくれたのだと思うのでした。

カードはもう、どこにかくしたかわかりません。そのかわり、幹のすきまに、白い花びらがはさまっているのに気づきました。つまんでそろそろと取りだしてみると、それは花びらではありませんでした。かたくて薄い、透きとおったお皿のようなものでした。

「さとし、木に近づいちゃだめよ」

お母さんがうしろから言いました。

「倒(たお)れるかもしれないって」

「うん」

さとしは手の中のものと、木を見くらべながら、(これはぼくの宝物(たからもの)だ)と、思いました。

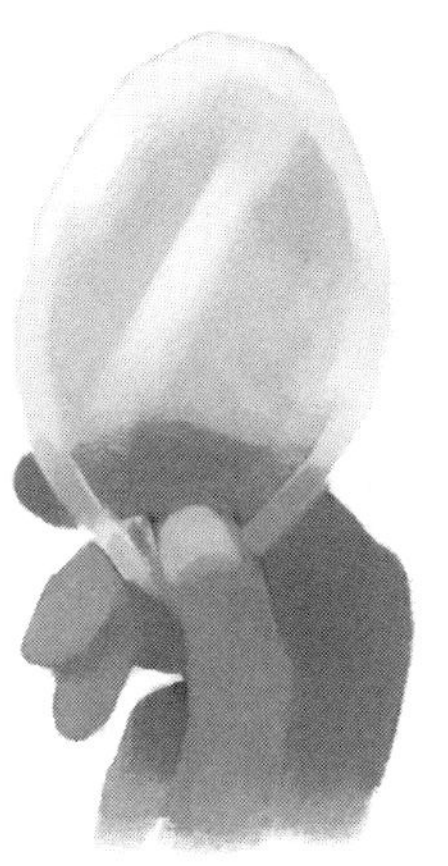

人の心は弱い。

まっさらな気持ちで生きていると思っていても、

空から一滴(てき)のインクが落ちてくる。

たった一滴なのに、にじんだらもう、まっさらではいられない。

作／巣山（すやま） ひろみ

広島県広島市生まれ在住。日本児童文芸家協会会員。『逢魔が時のものがたり』（学研）で第４２回児童文芸新人賞受賞。『バウムクーヘンとヒロシマ　ドイツ人捕虜ユーハイムの物語』（くもん出版）で第６８回産経児童出版文化賞産経新聞社賞受賞、2023年にミュージカル化された。他に『おばけのナンダッケ』シリーズ（国土社）、『パン屋のイーストン』シリーズ（出版ワークス）、絵本『パンフルートになった木』（少年写真新聞社）、『こわいがいっぱい　おばけのはなし　百の目』（岩崎書店）などがある。

絵／三上（みかみ） 唯（ゆい）

イラストレーター。東京都出身。小説の装画やCDジャケットを手がける。個展やグループ展を開催するなど、展示活動にも力を入れている。おもな作品に『沙羅の風』『動物たちのささやき』（国土社）などがある。

※「椿」は2004年に第十四回ゆきのまち幻想文学賞に入選し、入選作品集に掲載されたものを、また、「紅」は『児童文芸』2015年8・9月号に、「登校ロボット」は『児童文芸』2020年8・9月号に掲載されたものを加筆改稿した作品です。

休み時間で完結　パステル ショートストーリー

Deep Red（ディープレッド）
すきまの むこうがわ

作者／巣山 ひろみ
画家／三上 唯

2024年3月30日　初版1刷発行

発　行　　株式会社 国土社
〒101-0062　東京都千代田区神田駿河台2-5
TEL 03-6272-6125　FAX 03-6272-6126
https://www.kokudosha.co.jp
印刷・製本　モリモト印刷 株式会社

NDC913　176p　19cm　ISBN978-4-337-04139-4　C8393